# LOS ANTIGUOS GRIEGOS

**ACTIVIDADES PARA VESTIRTE, COMER, ESCRIBIR Y JUGAR COMO LOS GRIEGOS**

Textos de Joe Fullman
Traducción de Silvina Chauvin

EDITORIAL SIGMAR

Hecho el depósito de ley. Impreso en coedición en China en 9/2012. Printed in China. Textos de Joe Fullman. Traducción de Silvina Chauvin. 
**www.sigmar.com.ar**

Fullman, Joe
Los antiguos griegos. - 1a ed. - Buenos Aires : Sigmar, 2012.
32 p. : il. ; 30x23 cm. - (Manos a la Historia)

Traducido por: Silvina Chauvin
ISBN 978-950-11-3230-4

1. Material Auxiliar para la Enseñanza. I. Chauvin, Silvina, trad. II. Título
CDD 371.33

**Créditos de las imágenes**

Clave: a = arriba, b = abajo, c = centro, i = izquierda, d = derecha, ct = cubierta

**Alamy Images** 6b Jason Wood, 8a Mary Evans Picture Library, 14b The London Art Archive, 20a Ace Stock Ltd, 24a The London Art Archive, 26a The Print Collector

**Bridgeman Art Gallery** 18b Colección Privada/Look and Learn, 28a Colección Privada/Archives Charmet

**Corbis** 5ai Christie's Images, 16a Hoberman Collection, 23a The Picture Desk/Gianni Dagli Orti, 29a Bettmann/Corbis

**Fotolibra** ct Chris James

**Getty Images** 4b The Bridgeman Art Library, 18a The Bridgeman Art Library, 20b Franck Fife/AFP, 22bi Hulton Archive/ General Photographic Agency

**Photolibrary** 10b Michael Runkel, 15ai Age Fotostock/Wojtek Buss, 16b Imagestate/Stevie Vidler, 19ai Index Stock Imagery, 22a Imagebroker.net/Christian Handl, 4a Krechet, 12ª Elpis Ioannidis 24b Kharlanov Evgeny, 24c Paul Cowan, 24 bi AriyEvgeny, 24c Paul Cowan, 27bi Ariy

**Simon Pask** 5ac, e ad, 5cd, d bi, 5bd, 7ai, 7ad, 7ci, 7cd, 7bi, 7bd, 8cd, 8bd, 9ad, 9ci, 9bi, 11ad, 11ai, 11cd, 11ci, 11bi, 11bd, 12 bi, 12bd, 13ci, 13cd, 13bi, 15ad, 15ci, 15cd, 15bi, 15bd, 17ad, 17ci, 17cd, 17bi, 17bd, 19ad, 19ac, 19ci, 19cd, 19bi, 19bd, 21ad, 21ai, 21ci, 21cd, 21bi, 21bd, 22c, 22bd, 23ci, 23cd, 23bi, 23bd, 25ad, 25ai, 25ci, 25cd, 25bi, 215bd, 27ad, 27ai, 27ci, 27cd, 27bd, 28b, 29ci, 29bi, 29bd

**Topham Picturepoint** 20a Ann roñan Picture Library/HIP, 13a Alinari, 14a The Print Collector/HIP, 17ai, Charlos Walker, 26b

Las palabras en **negrita** se explican en el glosario de la página 31.

CONTENIDO

# ¿QUIÉNES FUERON LOS ANTIGUOS GRIEGOS?

Los antiguos griegos vivieron en un país llamado Grecia, hace miles de años. La antigua Grecia no era un imperio con un gobernante único. Era, en cambio, un grupo de **estados** separados, que compartían la misma cultura y lenguaje. Con el tiempo, los antiguos griegos instalaron **colonias** en muchos otros lugares, como Italia, España, Francia, Turquía y el norte de África.

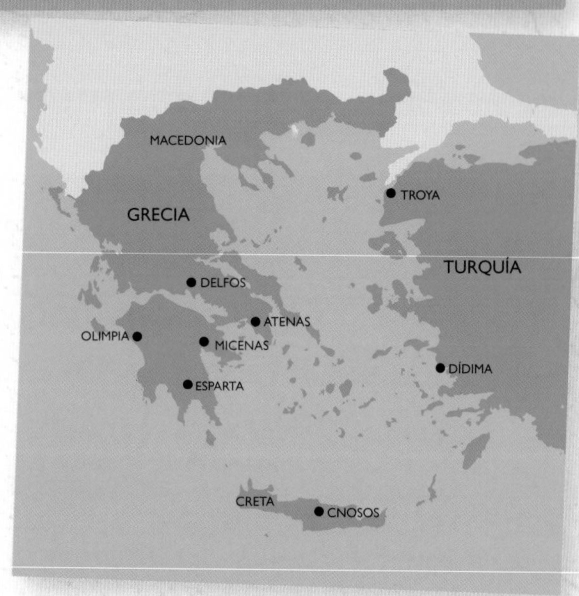


La antigua Grecia estaba conformada por un grupo de estados separados, entre ellos Atenas.

Este templo al dios griego Apolo, en Dídima, Turquía, era uno de los edificios más grandes del mundo de la antigua Grecia.

## UNA PROVINCIA ROMANA

Los antiguos griegos fueron vencidos por los romanos en 146 a.C. A partir de ese momento, Grecia pasó a formar parte del mundo romano. Sin embargo, el modo de vida griego no desapareció. Los romanos admiraban la cultura griega: copiaban sus edificios y su forma de vestir. Inclusive **adoraban** a muchos de sus dioses, aunque les dieron nuevos nombres romanos.

## UNA GRAN CIVILIZACIÓN

La antigua Grecia fue la cuna de muchos grandes **filósofos**, artistas, escritores, científicos y matemáticos. Sus ideas siguieron siendo estudiadas después de que la civilización griega llegara a su fin. De hecho, muchos libros de autores de la antigua Grecia, como Platón y Aristóteles, siguen leyéndose en la actualidad.

Escultura del famoso filósofo griego Platón.

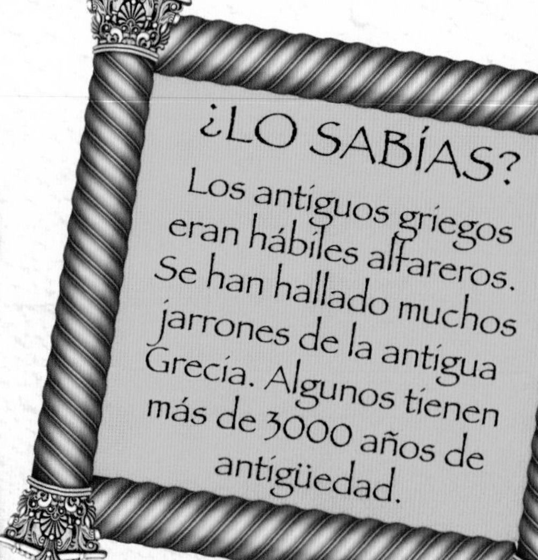

¿LO SABÍAS?

Los antiguos griegos eran hábiles alfareros. Se han hallado muchos jarrones de la antigua Grecia. Algunos tienen más de 3000 años de antigüedad.

Este jarrón negro y naranja fue hecho en el siglo VI a.C.

# HAZ UN JARRÓN GRIEGO

**Los antiguos griegos decoraban sus jarrones con imágenes de dioses, héroes y monstruos.**

**NECESITARÁS:**
CARTULINA – 1 GLOBO – PINCEL Y PINTURAS – TIRAS DE PAPEL DE DIARIO – MEZCLA DE ADHESIVO PLÁSTICO (3 PARTES DE ADHESIVO, 1 PARTE DE AGUA) – 1 TACHUELA – CINTA ADHESIVA – BARNIZ

Infla el globo. Aplícale dos capas de tiras de papel de diario y mezcla de adhesivo. Déjalo secar.

Repite este procedimiento hasta obtener ocho capas. Cuando el jarrón esté seco, pincha el globo con una tachuela.

Corta cuatro tiras de cartulina. Pega con cinta adhesiva una alrededor de la base, otra alrededor de la boca, y una a cada lado para hacer las asas.

Pega con adhesivo tres capas de tiras de papel de diario a la base, la boca y los lados. Haz que las tiras se superpongan.

Cuando se haya secado, pinta el jarrón de rojo y la base, la boca y las asas de negro. Decóralo con algún diseño y déjalo secar.

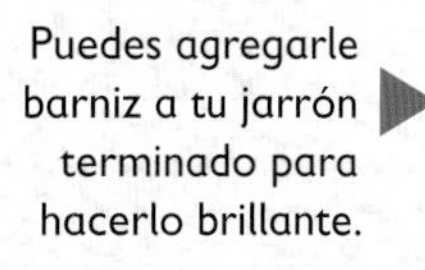
Puedes agregarle barniz a tu jarrón terminado para hacerlo brillante.

# Los primeros griegos

Las ruinas del palacio de Cnosos en Creta. Los pilares rojos fueron construidos para mostrar cómo se veía este sitio en la antigüedad.

La primera **civilización** del mundo griego surgió en la isla de Creta hace unos 6000 años. La gente de este sitio cultivaba olivos, vides y cereales. Con el tiempo, se enriquecieron mediante el **comercio** con otros pueblos de Europa y África. Vivían en grandes asentamientos, en cuyo centro se elevaba un palacio. El mayor palacio estaba en Cnosos. El **arqueólogo** que lo descubrió creyó que había sido construido por el rey Minos. Por este motivo llamó a este pueblo Minoico.

¿LO SABÍAS?
Entre el 1200 y el 800 a.C., los asentamientos griegos fueron menos exitosos. No se sabe mucho acerca de los griegos de esa época; se la llama "la edad oscura".

## MICENAS

Alrededor del 1450 a.C., una erupción volcánica cercana a Creta terminó con la civilización minoica. Luego, los micénicos, del territorio continental de Grecia, se transformaron en el pueblo más poderoso del mundo griego. Uno de sus asentamientos principales se hallaba en Micenas. Sin embargo, alrededor del 1200 a.C. la civilización micénica también había desaparecido.

## EL MINOTAURO

Los griegos contaban historias sobre un monstruo en Creta llamado Minotauro, que era mitad hombre y mitad toro. Vivía en un laberinto del cual nadie podía escapar. Finalmente, un griego llamado Teseo entró al laberinto y mató al Minotauro. Luego, gracias a un hilo que había atado a la entrada del laberinto con ese fin, logró salir.

El Minotauro tenía cuerpo humano y cabeza de toro.

# HAZ UNA MÁSCARA DE MINOTAURO

**El Minotauro se representa mucho en el antiguo arte griego.**

**NECESITARÁS:**
CARTULINA BLANCA – CARTULINA DORADA – LÁPIZ – TIJERA – PINCEL Y PINTURAS – PERFORADORA – DOS TROZOS DE CUERDA DE 30 CM – ABROCHADORA

Ata la cuerda detrás de tu cabeza: ¡ahora eres el Minotauro!

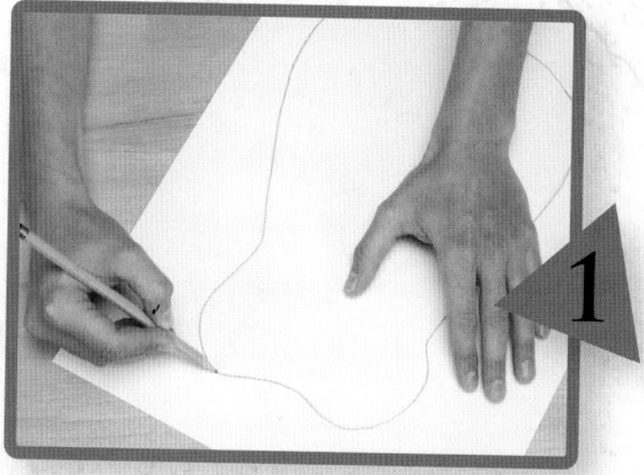

1. Dibuja la forma de la cara del toro en la cartulina. Asegúrate de hacerla más grande que tu cabeza.

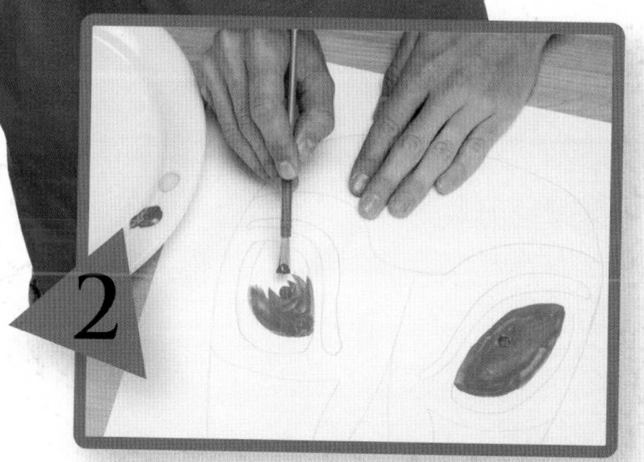

2. Dibuja los rasgos del Minotauro y luego pinta toda la cara. Recorta la máscara.

3. Dibuja dos cuernos en la cartulina dorada. Recórtalos. Abróchalos a la máscara.

4. Marca los agujeros de los ojos y usa la perforadora para cortarlos.

5. Haz dos pequeños agujeros a ambos lados de la máscara. Pasa una cuerda por cada orificio y haz un nudo en cada una.

# LA GUERRA DE TROYA

Las leyendas griegas cuentan acerca de una guerra hacia el año 1300 a.C. entre los griegos de Micenas y los troyanos, habitantes de Troya, en la actual Turquía. Un poema titulado *La Ilíada*, escrito por el poeta griego Homero, recrea qué sucedió en esa guerra. Homero describe dioses, héroes, monstruos y batallas dentro de la ficción. Sin embargo, los historiadores creen que realmente hubo una guerra entre griegos y troyanos.

Soldados griegos y troyanos luchan durante la guerra de Troya.

## HAZ UN CABALLO DE TROYA

**Los antiguos griegos construyeron su caballo sobre ruedas, de modo que los troyanos pudieran entrarlo en su ciudad.**

**NECESITARÁS:**
1 CAJA DE CARTÓN PEQUEÑA – 5 TUBOS DE CARTÓN – TIJERA – 1 LÁPIZ – ADHESIVO PLÁSTICO – PINCELES Y PINTURAS – CINTA ADHESIVA – MARCADOR – REGLA

Esta réplica moderna del caballo de madera está a la entrada de las ruinas de Troya.

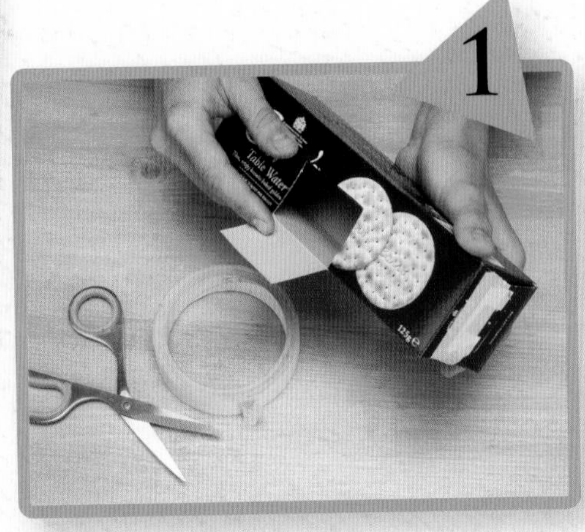


Usa cinta adhesiva para pegar la tapa de tu caja de bizcochos. Recorta una puerta en el costado para poner cosas dentro.

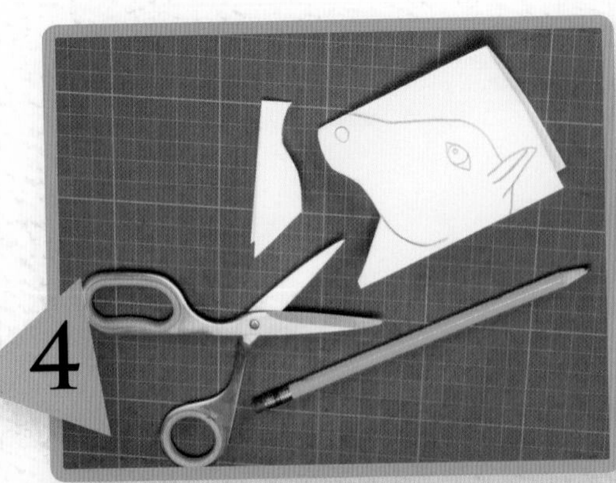


Dobla un trozo de cartón por la mitad. Dibuja la cabeza del caballo, con la nariz del caballo tocando el doblez. Recórtala.

## EL CABALLO DE MADERA

De acuerdo con la leyenda, la guerra duró más de diez años. Los griegos rodearon la ciudad de Troya, pero no pudieron entrar. Entonces, simularon volver a sus hogares, pero dejaron un enorme caballo de madera como presente para los troyanos. Al creer que la guerra había terminado, los troyanos metieron el caballo en la ciudad. Sin embargo, no se percataron de que dentro del caballo había, escondidos, soldados griegos que salieron sorpresivamente y tomaron la ciudad.

**¿LO SABÍAS?**
En *La Ilíada*, la guerra de Troya comienza porque Paris rapta a Helena, la esposa del rey de Esparta. Helena era considerada la mujer más hermosa del mundo.

## LA TROYA REAL

Luego de que Troya fue destruida, la gente la abandonó y la ciudad fue cubierta por la tierra. Por un largo tiempo nadie supo dónde estaba. Sin embargo, en el siglo XIX, un arqueólogo llamado Heinrich Schliemann descubrió los restos de una ciudad, que él creyó que era Troya, en el norte de Turquía.

Corta un trozo pequeño de un extremo de cada uno de los cinco tubos de cartón.

Pega cuatro tubos a la parte inferior de la caja para hacer las patas y el otro a la parte superior para hacer el cuello.

Pega la cabeza al cuello. Pinta el caballo de marrón y dibuja las tablas de madera con marcador.

Puedes guardar objetos, como monedas, dentro de tu caballo de Troya.

# El mundo griego

Desde el siglo VIII a.C., los griegos se hicieron más poderosos. Construyeron grandes **asentamientos** en Grecia, como Atenas, Esparta y Corinto. Estos sitios se conocen como **ciudades-estado** porque cada una tenía su propio gobernante y eran independientes del resto. Los griegos también crearon nuevas colonias en ultramar.

Los soldados griegos eran conocidos como hoplitas. Sus cascos estaban decorados con plumas.

## LA GUERRA

Las ciudades-estado a menudo entraban en guerra unas con otras. Sin embargo, en ocasiones se unían para enfrentar al enemigo común: el **Imperio persa**. Los soldados griegos usaban cascos y armaduras y llevaban escudos. Sus armas principales eran las espadas y largas lanzas de madera con agudas puntas metálicas. Los griegos también usaban catapultas y arietes.

## ALEJANDRO EL GRANDE

Alejandro se convirtió en el gobernante de Macedonia, un reino de la antigua Grecia, en 336 a.C. Poco después, lideró un ejército de soldados de todas las ciudades-estado contra el Imperio persa, el mayor enemigo de los griegos. Venció a los persas y creó un enorme imperio que se extendía desde Grecia hasta la India.

¿LO SABÍAS?
Alejandro fundó más de 70 ciudades. A la mayoría las llamó con su propio nombre, como la Alejandría de Egipto, que aún existe.

Fundada por Alejandro en 332 a.C., Alejandría se convirtió en una de las mayores ciudades del mundo de la antigua Grecia.

# HAZ UN CASCO DE GUERRA GRIEGO

**Los soldados griegos usaban cascos de bronce con un colorido penacho, decoración hecha con una tira de piel animal coloreada o con plumas.**

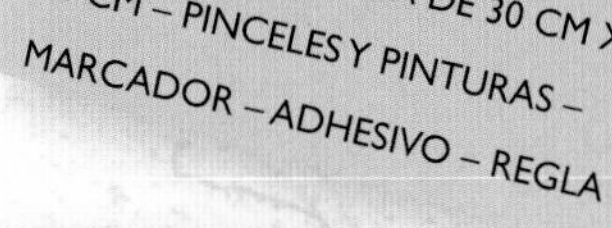

**NECESITARÁS:**
1 GLOBO – TIRAS DE PAPEL DE DIARIO – MEZCLA DE ADHESIVO PLÁSTICO (3 PARTES DE ADHESIVO, 1 PARTE DE AGUA) – 1 TACHUELA – TIJERA – CARTULINA DE 30 CM X 20 CM – PINCELES Y PINTURAS – MARCADOR – ADHESIVO – REGLA

1

Infla el globo hasta que sea un poco más grande que tu cabeza. Aplícale las tiras de papel de diario y la mezcla de cola a ¾ del globo.

2

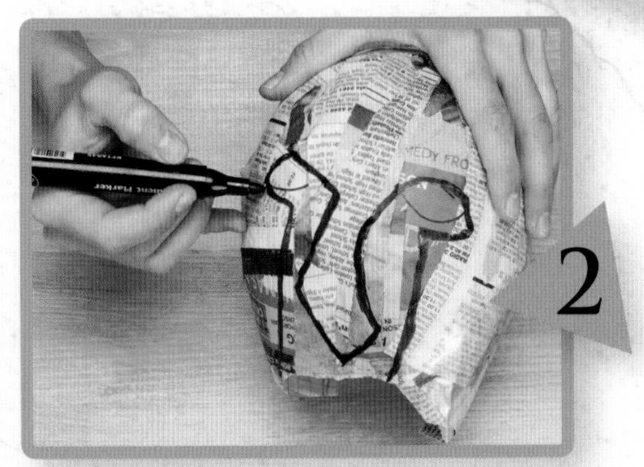

Cuando se haya secado, pincha el globo. Dibuja los agujeros de los ojos y el cubre nariz en el casco. Recórtalos con cuidado.

3

Pliega la cartulina a lo largo. Luego haz otro pliegue a aproximadamente 1,5 cm del primero.

4

Corta tiras de 1,5 cm de ancho hasta la línea del segundo pliegue. Este será el penacho.

5

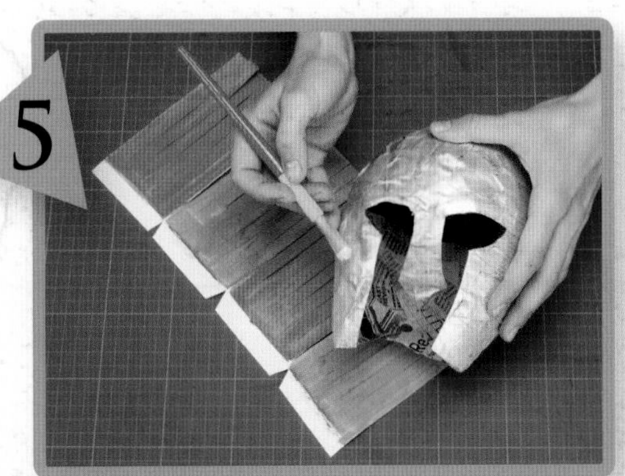

Pinta el casco y el penacho. Cuando se hayan secado, pega el penacho en la parte superior del casco.

Tu casco ya está listo para usar. Puedes probar distintas clases de penacho; de distintos colores o con plumas de papel. ▶

# ATENAS

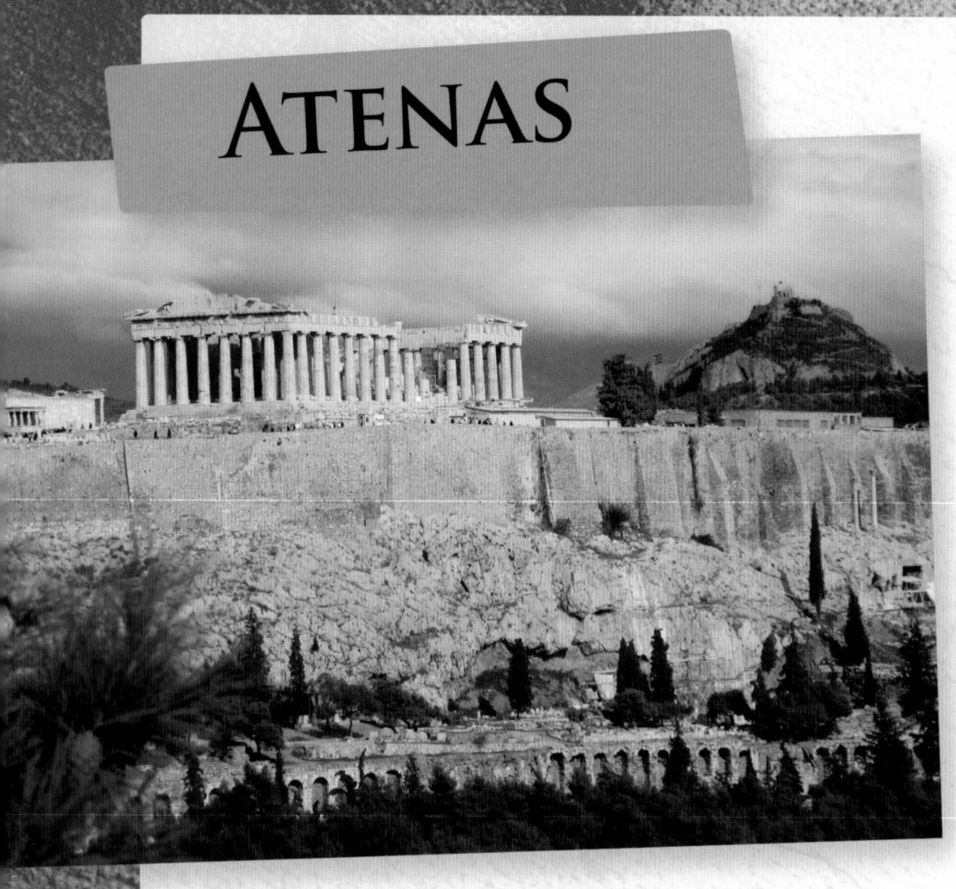

Hacia el siglo V a.C., Atenas se había convertido en la mayor y más importante de las ciudades-estado griegas. En la actualidad es aún la mayor ciudad de Grecia. Los primeros habitantes construyeron sus casas en lo alto de una colina por protección. Este asentamiento era conocido como la Acrópolis (que significa "ciudad de la colina") y estaba rodeada por una alta muralla. Al crecer la ciudad, la gente se sintió más segura y comenzó a vivir en las tierras bajas. Las casas de la cima fueron reemplazadas por **templos** y otros edificios.

◀ El Partenón fue construido hace 2500 años. Aunque está muy dañado, la mayoría de sus columnas sigue en pie.

## EL PARTENÓN

El templo mayor y más importante de Atenas era el Partenón. Fue construido en lo más alto de la Acrópolis. Este templo era para la diosa Atenea, de quien la ciudad toma su nombre. Fue construido en el siglo V antes de Cristo, y gran parte de él aún sobrevive.

## HAZ UN TEMPLO GRIEGO

**Los griegos desarrollaron un estilo de templos característico, con columnas y frisos. Los frisos cuentan una historia en imágenes.**

**NECESITARÁS:**
10 TUBOS DE CARTÓN DE UNOS 15 CM DE LONGITUD – CARTULINA BLANCA – TIJERA – LÁPIZ – REGLA – PINCEL Y PINTURAS – ADHESIVO PLÁSTICO – 1 TROZO PEQUEÑO DE CARTULINA DE 21 CM X 8 CM – 2 TROZOS DE CARTULINA MEDIANOS DE 30 CM X 20 CM – 1 TROZO DE CARTULINA MÁS GRANDE DE 30 CM X 30 CM

1 Pinta de blanco los tubos de cartón.

2 Pega las columnas a una de las cartulinas medianas. Pega encima la otra cartulina mediana.

## ATENEA

Atenea era la hija del rey de los dioses griegos, Zeus. Era la diosa de la guerra y la sabiduría, y se la suele mostrar en esculturas cubierta por una armadura y llevando escudo y lanza. También se la muestra con un búho, que era símbolo de sabiduría.

Una enorme escultura de Atenea, de oro y marfil, solía estar dentro del Partenón.

### ¿LO SABÍAS?

Cada dios griego tenía un templo principal. Dentro del templo había una escultura del dios. Se creía que el dios habitaba el interior de la escultura.

Marca dos triángulos para los frisos en el trozo pequeño de cartulina, con un borde de 1,5 cm a su alrededor.

Pinta tu historia en los triángulos y pliega el borde en cada lado.

Corta un rectángulo de la cartulina roja. Pega los frisos en los extremos del templo. Dobla al medio la cartulina grande para que forme un techo. Pégalo.

La mayoría de los templos era de colores claros con frisos en los que se contaban historias sobre los dioses y diosas.

# EL PUEBLO DECIDE

En un comienzo, las ciudades-estado eran gobernadas por terratenientes ricos llamados **tiranos**. Vivían en grandes casas decoradas con **frescos** y tomaban todas las decisiones acerca de la ciudad. La mayoría de la gente era pobre. Vivían en casas pequeñas y trabajaban en el campo. No tenían decisión en los asuntos de su ciudad.

Esta pintura moderna muestra cómo pudo haberse visto el Ágora (o "lugar de reunión") de Atenas en la antigüedad.

## LA DEMOCRACIA

En Atenas, la gente pobre se cansó de que los más ricos tomaran todas las decisiones. En el 508 a.C., derrocaron a los tiranos e instalaron una nueva forma de gobierno llamada **democracia**, que significa "gobierno del pueblo". Las decisiones acerca de la ciudad se tomaban en grandes reuniones, llamadas asambleas, a las cuales podían asistir todos los **hombres libres.**

¿LO SABÍAS?

Los esclavos no siempre lo eran toda la vida. En ocasiones, un esclavo podía ganar suficiente dinero como para comprar su libertad a su amo.

Briseida, la esposa de un rey troyano, fue capturada en batalla y se convirtió en esclava del guerrero griego Aquiles.

## ESCLAVITUD

Había gran cantidad de **esclavos** en la antigua Atenas. Los esclavos eran a menudo prisioneros de guerra que habían sido capturados en batalla o, a veces, eran gente pobre que debía dinero y no podía devolverlo. Los esclavos hacían tareas domésticas para la gente rica y trabajaban en los campos y las minas. No tenían derechos y no podían votar.

# HAZ UN FRESCO

**Las casas de la gente rica estaban a menudo decoradas con un tipo especial de imágenes llamadas frescos. Los frescos son pinturas hechas sobre yeso húmedo.**

**NECESITARÁS:**
YESO – 1 CUCHARA – 1 BOL – 1 JARRA DE AGUA – 1 TAPA DE CAJA DE ZAPATOS – PINCEL Y PINTURAS

Las paredes del palacio de Cnosos, Creta, estaban decoradas con frescos de delfines.

Usa la tapa de la caja de zapatos como tu marco. Cúbrelo con pintura negra y deja que se seque.

Mezcla el yeso con agua hasta que el yeso quede blando.

Vierte el yeso en el marco. Cuando empiece a endurecerse, pinta una guarda decorativa.

Luego, pinta la imagen principal con delfines y peces.

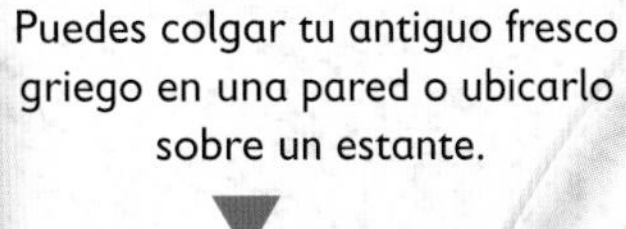

Puedes colgar tu antiguo fresco griego en una pared o ubicarlo sobre un estante.

# DIOSES Y RELIGIÓN

Los griegos **adoraban** a dioses diferentes. Creían que los dioses controlaban todo, y también que el rey de los dioses, Zeus, gobernaba a los otros dioses desde su palacio en el Monte Olimpo. En los mitos griegos, los dioses suelen comportarse como humanos: discuten, luchan, se enamoran y tienen hijos.

Zeus, el rey de los dioses griegos, era representado a menudo en las monedas griegas.

Había dos templos en Delfos; este pequeño para Atenea, a la entrada de la ciudad, y uno mucho mayor para Apolo.

## TEMPLOS

Los griegos construyeron grandes templos de piedra para sus dioses. En ellos, la gente los adoraba y les hacía ofrendas para mantenerlos contentos. Los griegos, además, sacrificaban animales a sus dioses: creían que si los complacían, las deidades les darían, a cambio, suficiente alimento y los ayudarían en las batallas.

## ORÁCULO

Los griegos querían que sus dioses les contaran acerca del futuro. En una ciudad llamada Delfos, había un templo consagrado a Apolo, el dios de la **profecía**. Los gobernantes griegos viajaban hasta Delfos para interrogar a la sacerdotisa, conocida como el oráculo, acerca del futuro. La sacerdotisa usualmente daba una respuesta poco clara, que podía significar muchas cosas distintas.

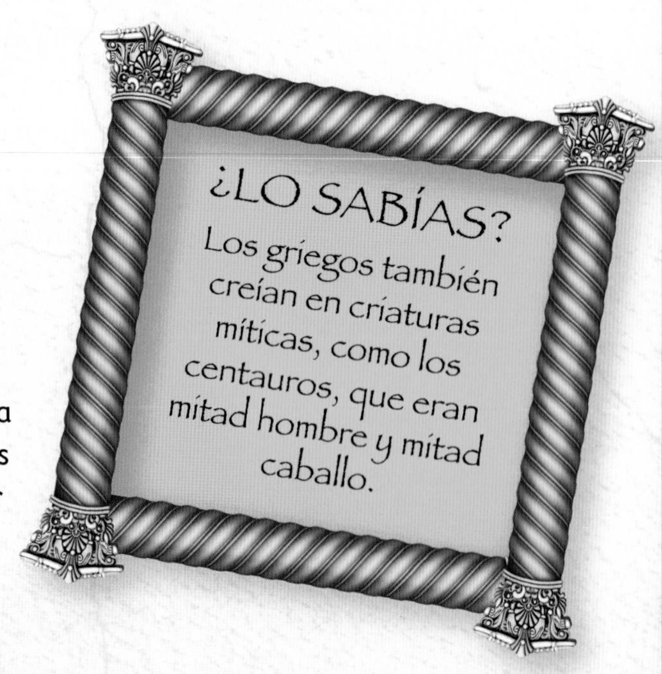

Esta escultura muestra a un grifo, una criatura mítica con el cuerpo de un león y la cabeza y las alas de un águila.

Colorea a tu criatura con lápices de colores. Puedes hacerla tan rara y maravillosa como quieras.

**NECESITARÁS:**
1 HOJA DE PAPEL – 1 LÁPIZ – DOS AMIGOS – LÁPICES DE COLORES

# HAZ UNA CRIATURA MÍTICA

**Los griegos contaban muchas historias sobre criaturas míticas. Estas criaturas solían estar formadas por partes de distintos animales.**

Dibuja la cabeza de una criatura en la parte superior de la hoja de papel. Pliégalo y agrega dos líneas como guía para el cuerpo.

Pídele a uno de tus amigos que dibuje el cuerpo y los brazos. Luego, pliega el papel y dibuja dos líneas como guía para las piernas.

Pídele a tu otro amigo que dibuje las piernas.

Ahora abre el papel para ver a tu criatura mítica.

# Festividades y cultura

Este **relieve**, esculpido alrededor del 500 a. C., muestra a un grupo de atletas griegos jugando a un juego de pelota.

Los griegos celebraban gran cantidad de **festividades** para honrar a sus dioses, con música y danzas. Muchos animales eran sacrificados, cocinados y comidos en enormes festines. También se realizaban certámenes deportivos. Los deportes eran muy populares en la antigua Grecia: desde pequeños, los jóvenes los practicaban. Aprendían cómo luchar, cómo conducir carros y a arrojar jabalinas.

## EL TIEMPO LIBRE

En las casas de los ricos, los esclavos hacían todo el trabajo. Por lo tanto, la gente rica tenía mucho tiempo libre. Las actividades favoritas eran la danza, el juego y la ejecución de música, con flautas, siringas y arpas.

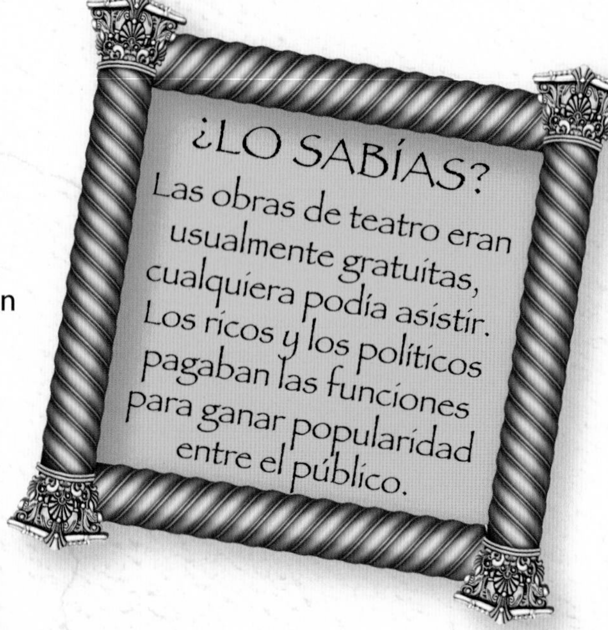

## TEATROS

Toda ciudad griega tenía un teatro donde se representaban obras. A las mujeres no se les permitía actuar, por lo que todos los papeles eran representados por hombres. A menudo, usaban máscaras para mostrar distintos sentimientos o estados de ánimo. Muchos **dramaturgos** famosos, como Eurípides y Sófocles, son de la antigua Grecia.

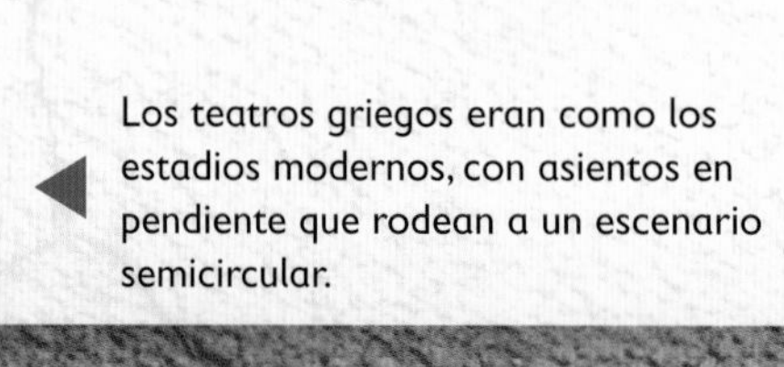

Los teatros griegos eran como los estadios modernos, con asientos en pendiente que rodean a un escenario semicircular.

# HAZ UNA MÁSCARA DE TEATRO GRIEGA

**Los antiguos griegos usaban máscaras. Algunas máscaras tenían caras felices, mientras que otras mostraban enojo.**

Las máscaras de la comedia mostraban rostros sonrientes.

**NECESITARÁS:**
1 GLOBO – TIRAS DE PAPEL DE DIARIO – MEZCLA DE ADHESIVO PLÁSTICO (3 PARTES DE ADHESIVO, UNA PARTE DE AGUA) – TIJERA – PINCELES Y PINTURAS – PERFORADORA – HILO – 1 TACHUELA

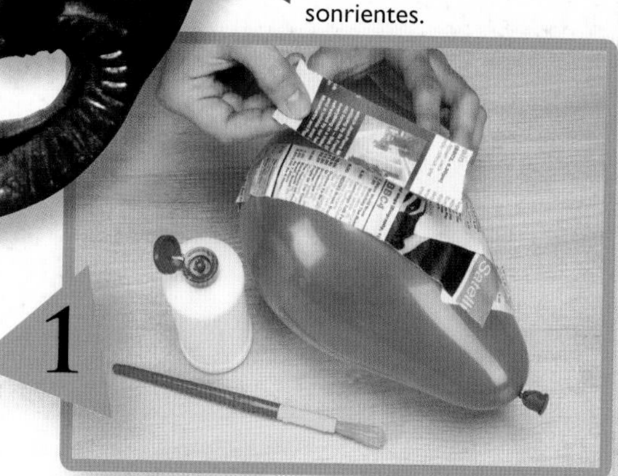


Infla el globo hasta que alcance el tamaño de tu cabeza. Cubre el frente del globo con tiras de papel de diario y mezcla de cola.

Agrega varias capas de tiras de papel y déjalo secar. Pincha el globo y retíralo.

Pinta la máscara y déjala secar. Luego píntale una expresión: alegre, enojada o triste.

Con cuidado, corta agujeros para los ojos y la boca.

Ata la máscara a tu cabeza. Puedes hacer varias máscaras con diferentes expresiones y representar una obra con tus amigos.

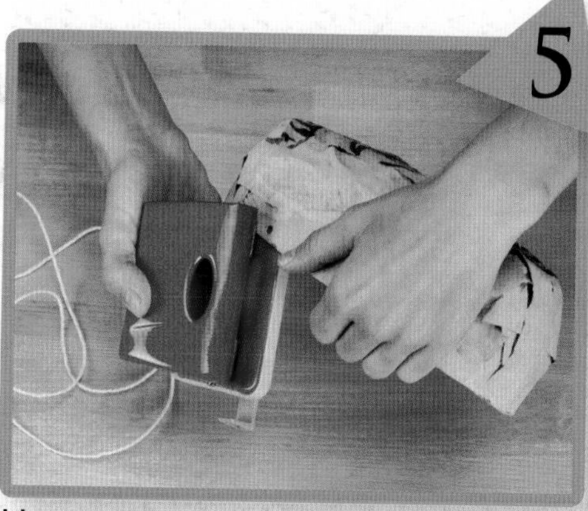


Haz un agujero a cada lado de la máscara. Pasa un trozo de hilo a través de cada agujero y hazle un nudo.

# Los Juegos Olímpicos

Los griegos celebraban distintas festividades, pero la más importante eran los Juegos Olímpicos. Se realizaban cada cuatro años en un sitio llamado Olimpia, en honor a Zeus. Participaban **atletas** de todo el mundo griego. Las ciudades-estado que estaban en guerra dejaban de luchar durante los juegos para que los atletas pudieran viajar sin riesgo.

Un antiguo deporte griego es el lanzamiento de jabalina. Este aún se practica en los Juegos Olímpicos modernos.

¿LO SABÍAS?

En los Juegos Olímpicos de la antigua Grecia, todos los atletas competían desnudos.

## DISTINTOS DEPORTES

En los antiguos Juegos Olímpicos, los atletas competían en muchos deportes diferentes, como las carreras, el lanzamiento de disco y de jabalina, la lucha y el boxeo. En la actualidad, los atletas olímpicos practican muchos de estos deportes, así como otros nuevos, por ejemplo el ciclismo, el básquetbol y el tenis. Desde 1924, se realizan también unos juegos separados llamados Olimpíadas de Invierno.

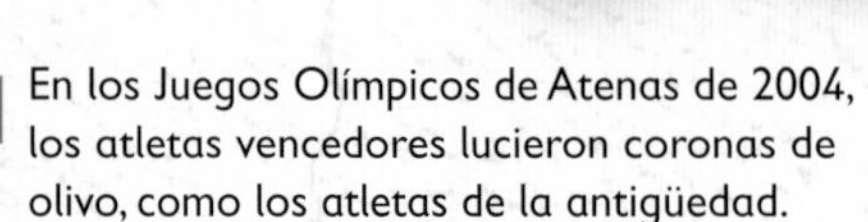

En los Juegos Olímpicos de Atenas de 2004, los atletas vencedores lucieron coronas de olivo, como los atletas de la antigüedad.

## LOS JUEGOS OLÍMPICOS MODERNOS

El primer Juego Olímpico de la antigua Grecia tuvo lugar en 776 a. C. y el último en 393 d. C. más de mil años después, en la época de los romanos. En 1896, un francés llamado Barón Pierre de Coubertin, que estaba muy interesado en los antiguos Juegos Olímpicos, decidió realizar los juegos en Atenas. Desde entonces, los Juegos Olímpicos modernos se han realizado cada cuatro años en una ciudad diferente alrededor del mundo.

# HAZ UNA CORONA DE LA VICTORIA

**NECESITARÁS:**
PAPEL VERDE – CARTULINA VERDE CLARO Y OSCURO – TIJERA – 1 LÁPIZ – ABROCHADORA – PEGAMENTO

**En lugar de una medalla dorada, a los ganadores de los antiguos Juegos Olímpicos se les daba una corona que estaba hecha con ramas de olivo o laurel y la colocaban en sus cabezas.**

1

Corta una tira larga de papel verde de 70 cm por 5 cm.

2

Dobla el papel por la mitad a lo largo. Haz un círculo con la tira de papel e introduce un extremo en el otro.

3

Ponte el círculo en la cabeza y empuja los extremos hasta que te ajuste. Fíjalos en el lugar con un ganchito.

4

Dibuja y recorta 30 formas de hojas en la cartulina. Deberían ser de aproximadamente 12 cm de longitud y 6 cm de ancho.

5

Dobla las hojas por la mitad y pega los tallos dentro de los bordes plegados de la vincha.

Puedes jugar una carrera y darle tu corona olímpica al ganador.

# LOS HOGARES, LAS MUJERES Y LOS NIÑOS

Había distintos tipos de casa en la antigua Grecia. La gente pobre vivía en casas pequeñas y simples. La gente rica vivía en grandes casas decoradas con mosaicos (imágenes hechas con trozos pequeños de piedra coloridos). Las casas de las ciudades tenían un patio o jardín central. Los muros, de adobe, piedra o madera, estaban cubiertos con yeso y pintados de blanco para rechazar el calor del sol.

Un piso de mosaicos de una casa en la isla griega de Delos. Solo las familias más ricas podían pagar estos pisos.

## HAZ UN YOYÓ GRIEGO

**Se han encontrado imágenes antiguas que muestran a niños griegos jugando con yoyós, que según muchos historiadores fueron inventados en Grecia.**

**NECESITARÁS:**
ARCILLA SIN COCCIÓN – HERRAMIENTA DE MODELADO – TROZO DE CAÑA – 1 M DE HILO – TRINCHETA

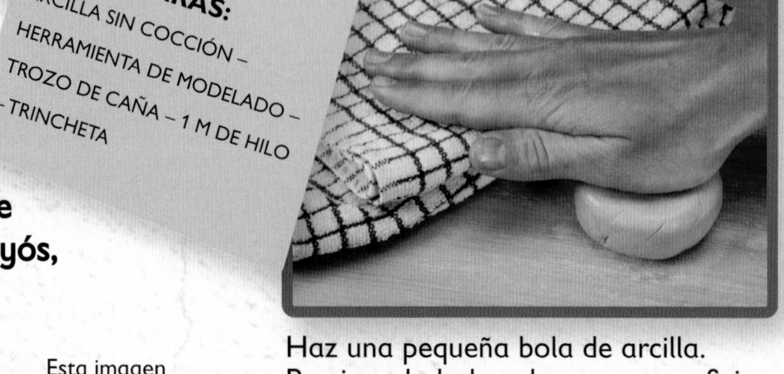

1

Haz una pequeña bola de arcilla. Presiona la bola sobre una superficie lisa para formar un disco de unos 4 cm de grosor.

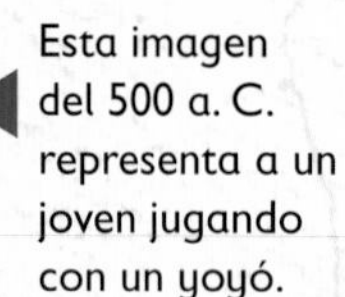

Esta imagen del 500 a. C. representa a un joven jugando con un yoyó.

4

Pídele a un adulto que perfore un agujero en el centro de cada disco. Pasa la caña por el agujero de uno de los discos.

## LAS MUJERES

En la antigua Grecia, las mujeres no tenían muchos derechos. No se les permitía votar y solo unas pocas podían trabajar. Al casarse, la mujer debía entregar a su marido todas sus posesiones, inclusive su dinero. Las mujeres debían criar a sus hijos y cuidar del hogar.

**¿LO SABÍAS?**

En la antigua Grecia, los niños se consideraban adultos al llegar a los 12 años. En ese momento debían tirar todos sus juegos y juguetes.

Una mujer trabajando en una mesa representada en un friso.

## LOS NIÑOS

Cuando nacía un niño, el padre decidía si vivía o moría. Si el niño nacía enfermo, o si la familia no era rica, en ocasiones era abandonado o vendido como esclavo. Los muchachos eran enviados a la escuela desde los siete años, pero las niñas permanecían en casa.

2

Usa una herramienta de modelado para cortar cuidadosamente el disco grande en dos del mismo tamaño, cada uno de unos 2 cm de grosor.

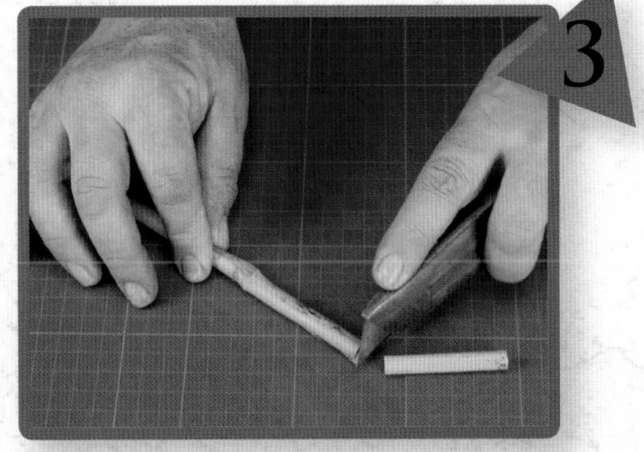

3

Pídele a un adulto que corte un trozo de 5 cm de caña.

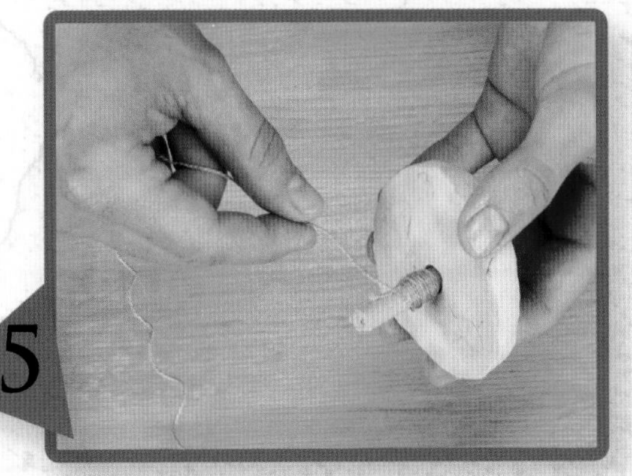

5

Enrolla el hilo alrededor de la caña que sobresale. Atraviesa el otro disco con la caña.

Agrégale un pedacito de arcilla a cada extremo de la caña para que no se salgan los discos. ¡A jugar con el yoyó!

# AGRICULTURA Y ALIMENTO

Este jarrón del 500 a. C. muestra agricultores trabajando los campos. Usan bueyes para tirar de un arado.

Grecia es un país cálido y seco, con muchas montañas. Gran parte de su suelo es pobre, que no lo hace un buen lugar para ciertos cultivos. Esto forzó a muchos griegos a viajar y fundar colonias en otros sitios, como Italia. Cuando la cosecha era mala, se podía comprar alimento en estos lugares.

## LA COMIDA

La mayoría de los asentamientos griegos estaba próximo a la costa, por lo que los griegos consumían mucho pescado. También comían aceitunas, que se cosechaban en todo el país, miel, aceite de oliva y pan de trigo o cebada. Criaban cabras y gallinas para proveerse de leche y huevos.

¿LO SABÍAS?
Los griegos solían cocinar en el exterior para que el olor de la comida no permaneciera dentro de sus casas.

Las aceitunas eran exprimidas para producir aceite de oliva. Este era utilizado para cocinar y como combustible para lámparas.

Un ánfora es una vasija de arcilla grande utilizada para transportar y almacenar líquidos, especialmente vino y aceite de oliva.

## LA BEBIDA

El cultivo de la uva era uno de los pocos que se daba bien en las secas colinas griegas bañadas por el sol. Los antiguos griegos comían las uvas y también las usaban para producir vino, que enviaban en grandes envases de arcilla a otras partes del mundo griego, además de venderlo a otros pueblos.

# HAZ UNA MINI ÁNFORA

**En la antigua Grecia, el aceite de oliva era transportado en vasijas de dos manijas, llamadas ánforas.**

**NECESITARÁS:**
ARCILLA SIN COCCIÓN -
PINCELES Y PINTURA MARRÓN

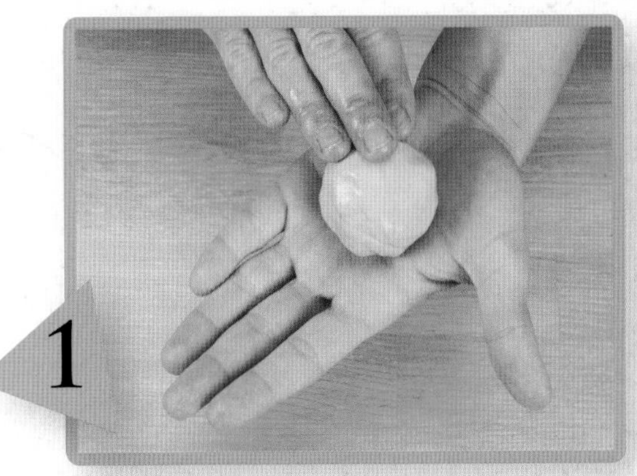


Haz una bola de arcilla del tamaño de una pelota de tenis

Dale forma de huevo. Aplana uno de los extremos para hacer la base.

Usa tu dedo para hacer un hoyo en el otro extremo. Empuja con tu dedo hasta llegar casi hasta el fondo.

Con tus dedos dale forma a los bordes del hoyo.

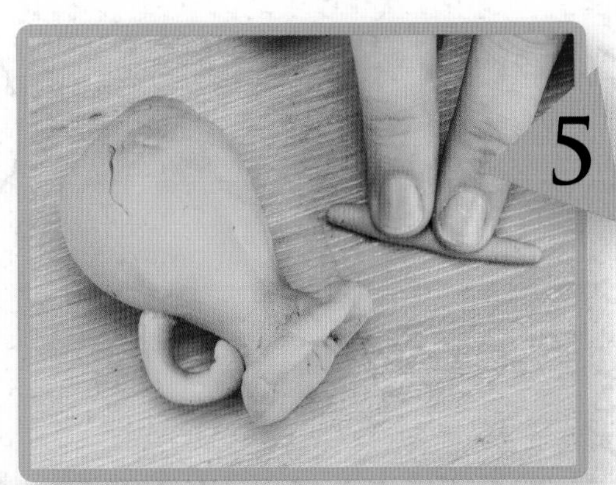


Amasa dos tiras finas de arcilla. Cúrvalas en forma de C y agrégalas como asas.

Pinta el ánfora de color marrón. Cuando se haya secado, llénala con el líquido que prefieras.

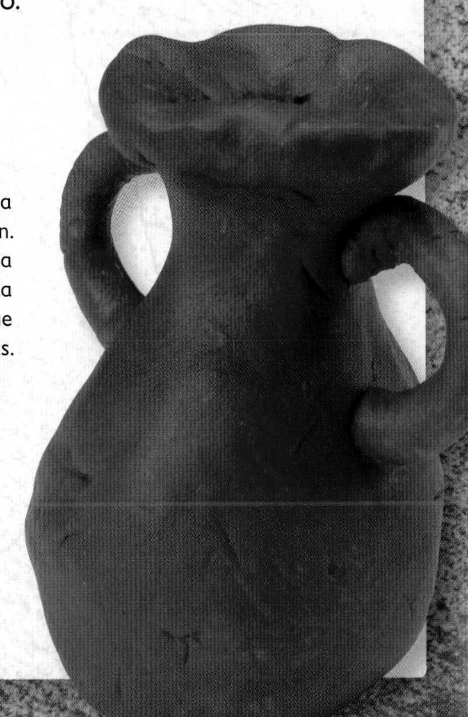

# VESTIMENTA Y JOYAS

La mayor parte de la ropa en la antigua Grecia estaba hecha de lana o **lino**. Los más ricos podían tener ropa hecha de seda de China. La mayor parte de la ropa era teñida con tintas obtenidas de plantas, insectos y criaturas marinas. La ropa de los más pobres era simple y sin decoración.

## QUÉ USAR

Los hombres y las mujeres usaban el mismo tipo de ropa. La prenda masculina se llamaba quitón. Era como un vestido largo, ajustado con alfileres. También usaban **túnicas** y mantos. Tenían espejos en los que mirarse, hechos de bronce pulido.

Esta imagen muestra a Aristóteles, un filósofo de la antigua Grecia, vistiendo un quitón y sandalias de cuero.

**¿LO SABÍAS?**
La mayoría de los antiguos griegos no usaba calzado. Las sandalias, hechas de cuero, solo se utilizaban en ocasiones especiales.

## EL PEINADO Y LAS JOYAS

Los antiguos griegos se preocupaban por su apariencia. Tanto hombres como mujeres cuidaban mucho de su pelo. Los hombres solían enrularlo y las mujeres lo decoraban con hebillas. Las joyas eran muy populares. Los más pobres usaban joyas de cobre, mientras que los ricos usaban objetos de oro, plata y piedras preciosas.

Entre los antiguos griegos había muchos artesanos hábiles que creaban joyas como estos pendientes de oro.

# HAZ UN QUITÓN

**NECESITARÁS:**
1 SÁBANA DE APROXIMADAMENTE 2 M X 1,4 M – ALFILERES DE GANCHO – AGUJA E HILO – CORDÓN

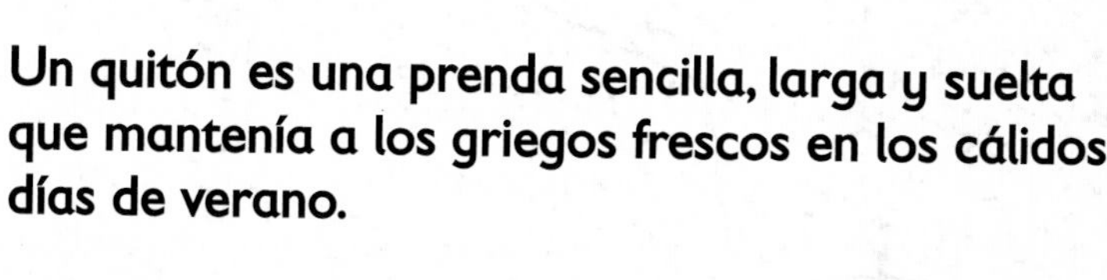

**Un quitón es una prenda sencilla, larga y suelta que mantenía a los griegos frescos en los cálidos días de verano.**

Dobla la sábana por la mitad

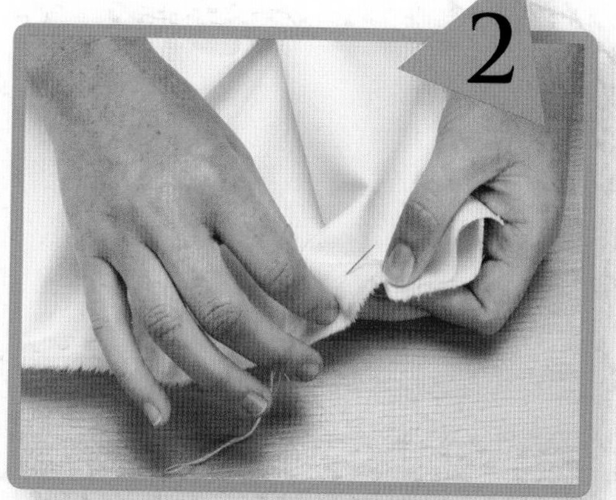


Pídele a un adulto que te ayude a unir cosiendo los bordes opuestos al doblez.

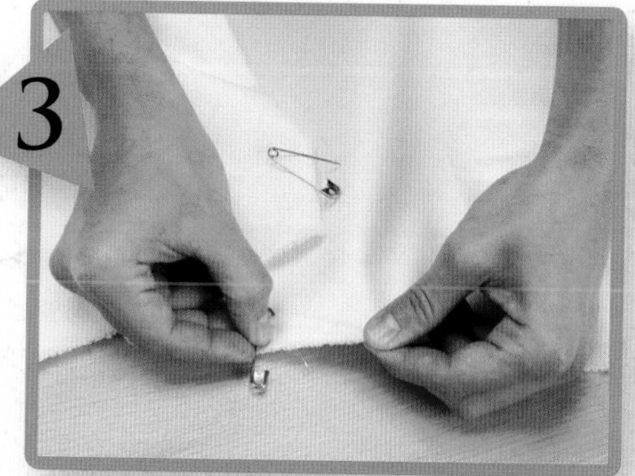


Decide cuál extremo será la parte superior. Pon los alfileres de gancho donde irán tus hombros, uno a cada lado.

Ponte el quitón por sobre tu cabeza. Usa el cordón para atarlo alrededor de tu cintura.

Los trabajadores de la antigua Grecia vestían túnicas cortas, que les permitían moverse con mayor libertad. Las mujeres usaban quitones largos.

El cinturón era llamado *zoster*. Podía usarse alrededor del pecho o la cintura.

# GRANDES PENSADORES

En la antigua Grecia vivieron pensadores muy inteligentes, que desarrollaron nuevas ideas en el campo de la matemática, la astronomía y la medicina. Estas ideas cambiaron al mundo para siempre. Por ejemplo, el astrónomo Aristarco fue quien descubrió que la Tierra gira alrededor del Sol. Pitágoras fue un matemático cuyos cálculos siguen utilizándose. Hipócrates fue un médico que desarrolló técnicas para ayudar a salvar la vida de las personas.

Esta imagen moderna muestra a Hipócrates, quien es llamado el "padre de la medicina moderna", realizando una operación.

**NECESITARÁS:**
CARTULINA TAMAÑO A4 –
PINCELES Y PINTURAS –
LÁPIZ – MARCADOR

## HAZ UNA ANTIGUA PLACA GRIEGA

**El alfabeto griego ha sido utilizado desde el siglo VIII a. C., lo que lo hace uno de los más antiguos del mundo.**

| Letra griega | Letra moderna | Letra griega | Letra moderna |
|---|---|---|---|
| Α α | A | Ν ν | N |
| Β β | B | Ξ ξ | X |
| Γ γ | G | Ο ο | O |
| Δ δ | D | Π π | P |
| Ε ϵ | E | Ρ ρ | R |
| Ζ ζ | Z | Σ σ | S |
| Η η | H | Τ τ | T |
| Θ θ | Th | Υ υ | U |
| Ι ι | I | Φ φ | Ph |
| Κ κ | K | Χ χ | Ch |
| Λ λ | L | Ψ ψ | Ps |
| Μ μ | M | Ω ω | O |

1

Pinta la cartulina de color amarillo.

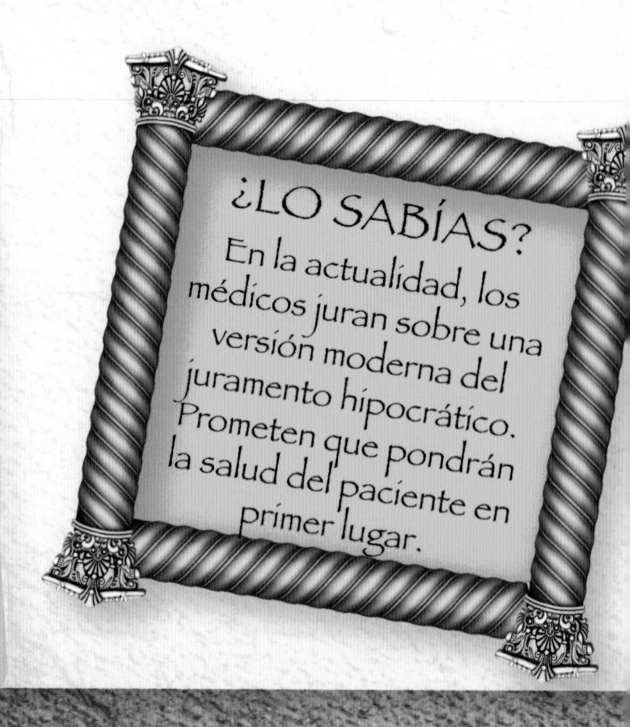

## FILÓSOFOS

Los pensadores más importantes de la antigua Grecia eran llamados filósofos. Filosofía significa "amor por la sabiduría" y los filósofos solían ser expertos en muchas materias, como ciencia, matemáticas y arte. Los filósofos más famosos fueron Sócrates, Platón y Aristóteles.

## LOS BARCOS Y EL COMERCIO

Los antiguos griegos construían barcos que podían recorrer largas distancias y transportar mucha carga. Esto era de gran importancia porque muchos asentamientos griegos estaban en islas. Los griegos también usaban barcos, llamados **trirremes**, para luchar. Impulsada por un equipo de remeros, una nave podía embestir a otra para tratar de hundirla.

Sócrates, uno de los grandes filósofos griegos, escribe un himno luego de haber sido sentenciado a muerte.

Dibuja una guarda griega antigua alrededor de tu placa.

Pinta la guarda con distintos colores.

Escribe tu nombre en lápiz, utilizando el alfabeto griego. Luego, repásalo con marcador o pintura.

Cuelga tu obra terminada en la puerta de tu cuarto.

**Adorar:** mostrar respeto y amor por un dios, especialmente mediante la plegaria en edificios religiosos.

**Arqueólogo:** el que estudia sitios y artefactos antiguos.

**Asentamientos:** lugar donde la gente vive durante todo el año. Las ciudades, los pueblos y las aldeas son asentamientos.

**Atleta:** hombre que tomaba parte en los juegos públicos de Grecia y Roma.

**Ciudad-estado:** ciudad y área circundante que forman un estado independiente.

**Civilización:** modo de vida y cultura, arte y arquitectura compartidos por un grupo de gente.

**Colonia:** así se llama al área o país que es ocupado por personas de otro lugar.

**Comercio:** compra y venta de bienes.

**Democracia:** forma de gobierno en la que todos son iguales ante la ley y pueden votar.

**Dramaturgo:** quien escribe obras de teatro.

**Esclavo:** persona que es propiedad de otras y trabaja para ellas sin obtener paga.

**Estado:** área o país individual controlado por un único gobernante.

**Festividad:** momento de celebración masiva, que usualmente se repite cada año en la misma fecha.

**Filósofo:** persona que trata de encontrar respuestas a los problemas acerca de la verdad, la justicia y el significado de la vida, mediante el análisis cuidadoso de los argumentos.

**Fresco:** pintura realizada sobre una pared donde el yeso aún está húmedo.

**Hombre libre:** ciudadano masculino de una ciudad-estado griega que no es esclavo.

**Imperio:** grupo de países, estados o personas controlados por un solo gobernante, llamado emperador.

**Imperio persa:** gran imperio que se extendía principalmente sobre lo que es hoy el moderno Irán.

**Lino:** tipo de tela tejida con las fibras obtenidas de la planta del mismo nombre.

**Profecía:** predicción de eventos futuros.

**Relieve:** forma de escultura que utiliza figuras que sobresalen de un fondo plano.

**Templo:** edificio donde la gente adora a su dios o dioses.

**Tirano:** en la antigua Grecia, los tiranos fueron gobernantes que no consultaban la opinión de su pueblo.

**Trirreme:** nave de guerra de la antigua Grecia, impulsada por equipos de remeros.

**Túnica:** prenda de vestir suelta y sin mangas, como un chaleco largo.

ÍNDICE

# NOTAS PARA PADRES Y MAESTROS

• Lean todo acerca de las fascinantes vidas y aventuras de los dioses y héroes de la antigua Grecia en diversas páginas de Internet. Hagan que los chicos creen un árbol genealógico de los dioses griegos, o un libro de imágenes con sus mitos griegos favoritos.

• Descubran la historia de los antiguos Juegos Olímpicos en el sitio de Internet oficial de los Juegos Olímpicos modernos. Observen el arte antiguo que ilustra los eventos, descubran qué griegos famosos tomaron parte (como el filósofo Platón) y lean las rigurosas reglas de los juegos, que establecían que cualquier competidor que hiciera trampa podía ser azotado. Los vencedores de los antiguos Juegos Olímpicos tenían poemas escritos en su honor. Pidan a los chicos que escriban su propio poema acerca de un héroe olímpico moderno.

• Lean acerca de la guerra del siglo V a.C entre las ciudades-estado de Atenas y Esparta. Los chicos pueden escribir su propia obra sobre otro episodio de la historia griega, como la guerra de Troya, o las conquistas de Alejandro.

• Descubran el mundo de la antigua Grecia más allá de Grecia. Alejandro el Grande fue uno de los más exitosos jefes militares de la historia. Investiguen su ruta victoriosa a través de Europa y Asia en el siglo IV a.C. Impriman un mapa para que los chicos marquen y nombren los principales asentamientos de la antigua Grecia.

**Sitios útiles de Internet**

Encuentra una línea de tiempo de la antigua Grecia y más información interesante en **http://contenidos.educarex.es/mci/2003/47/html/tema7.htm#**

Lee una interesante versión ilustrada de la guerra de Troya y del mito de Teseo y el Minotauro en **http://www.luventicus.org/articulos/03N019/index.html**

Realiza un viaje virtual por importantes sitios arqueológicos griegos en **http://www.mac.cat/esl/Sedes/Empuries/Yacimiento-y-Museo-monografico/Recinto-arquelogico/Visita-griega**